「五つの敬語」第五巻

その敬語《けいご》、自信ありますか？

（文法・用例編《へん》）

「五つの敬語」第五巻
その敬語《けいご》、自信ありますか？
（文法・用例編《へん》）

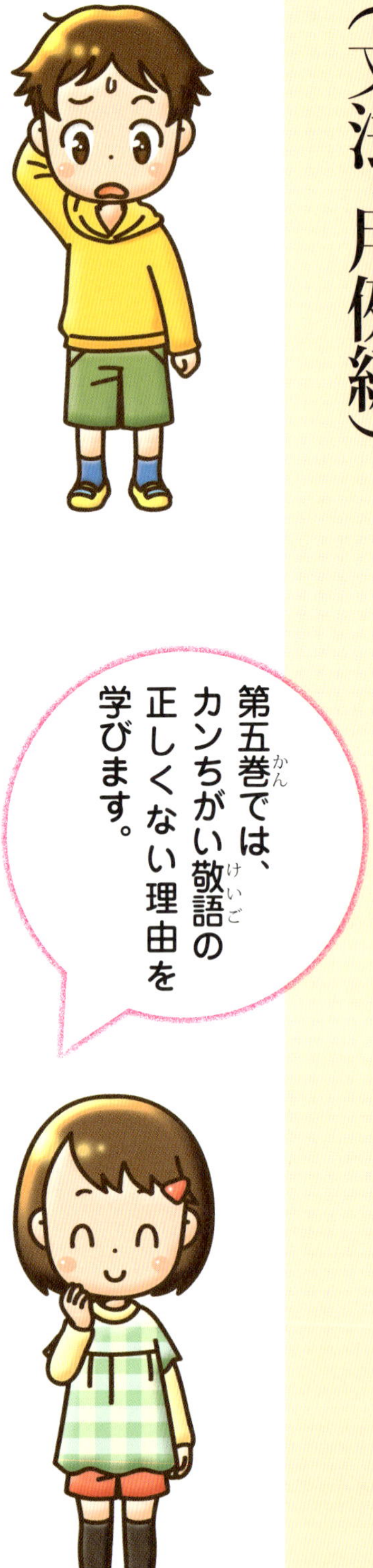

本書で○×△などの記号で説明している部分がありますが、これは「正しい」「誤《あやま》り」などを明確《めいかく》に指摘《してき》するものではなく、敬語《けいご》の基本《きほん》の使い方として適切《てきせつ》なもの、そうではないものを示《しめ》しています。

敬語は、相手に対する敬意《けいい》を示す言葉で自己表現《じこひょうげん》となりますので、完全な正解《せいかい》、不正解《ふせいかい》という判断《はんだん》はなじみません。

「カンちがい敬語《けいご》」で復習《ふくしゅう》していきましょう

「これまで第一巻《かん》から第四巻までで、「敬語とは」「美化語」「丁寧語《ていねいご》」「尊敬語《そんけいご》」「謙譲語《けんじょうご》」「丁重語」などを学んできました。

「五つの敬語」第五巻《かん》「その敬語、自信ありますか？」は、第一巻から第四巻で学習した五つの敬語を「カンちがい敬語」としてまとめてあります。

もう一度、基本《きほん》を復習し、「カンちがい敬語」のどこが変なのかを学んでいきます。

第五巻での説明は簡単《かんたん》にしていますので、詳《くわ》しい内容《ないよう》は、各巻を復習しましょう。

●カンちがい敬語《けいご》　どこが変？
「ご注文の品はおそろいになりましたでしょうか」

【おかしなポイント】

「おそろいになりましたでしょうか」は、『「お」「ご」……になる』のパターンを疑問文《ぎもんぶん》にしたものです。（第二巻《かん》P22）「尊敬語《そんけいご》」は主語を上げる敬語なので、この文章の主語「ご注文の品」を上げる敬語の表現になっています。「美化語」や「丁寧語《ていねいご》」を使って次の文にするのが正しい敬語です。

尊敬語《そんけいご》ではなく丁寧語《ていねいご》を使います。
ていねいごくん

「ご注文の品は、そろいましたでしょうか」〇

「ご注文の品は、以上でよろしいでしょうか」〇

ご注文の品は
そろいましたで
しょうか?

●カンちがい敬語《けいご》　どこが変？
「先生もこの店をよくご利用されますか」

【おかしなポイント①】

①『「お」「ご」……する』は、「謙譲語《けんじょうご》」なので、
自分を下げる敬語（第三巻《かん》P26）です。

②……「れる」は、「尊敬語《そんけいご》」（第二巻P26）です。
「謙譲語」と「尊敬語」は組み合わせられません。

【おかしなポイント②】

先生が主語（相手側）なのに、「謙譲語」で先生を下げている点が変です。
先生が主語なので「尊敬語」の疑問形《ぎもんけい》にしなければなりません。

「先生もこのお店をよく利用されますか」○

「先生もこのお店をよく利用なさいますか」○

「先生もこのお店をご利用になりますか」○

「お」「ご」……「する」は、自分を下げる謙譲語《けんじょうご》なので、この場合は使えません。

相手を上げて尊敬語《そんけいご》にします。

●カンちがい敬語《けいご》 どこが変？
「お分かりにくい」

【おかしなポイント】

「分かりにくい」のは、主語が自分側ではなく相手側（もしくは第三者）なので、「尊敬語《そんけいご》」にしなければならないのに、動詞《どうし》「分かる」に「お」を付けただけの状態で不完全な言い方となっているからです。

『「お」「ご」……になる』の尊敬語の一般形《いっぱんけい》（第二巻《かん》P22）を使って、「お分かりになる」＋「にくい」とするのが敬語としては適切です。

「お分かりにくい」×

「お分かりになりにくい」○

「お読みやすい」×

「お読みになりにくい」○

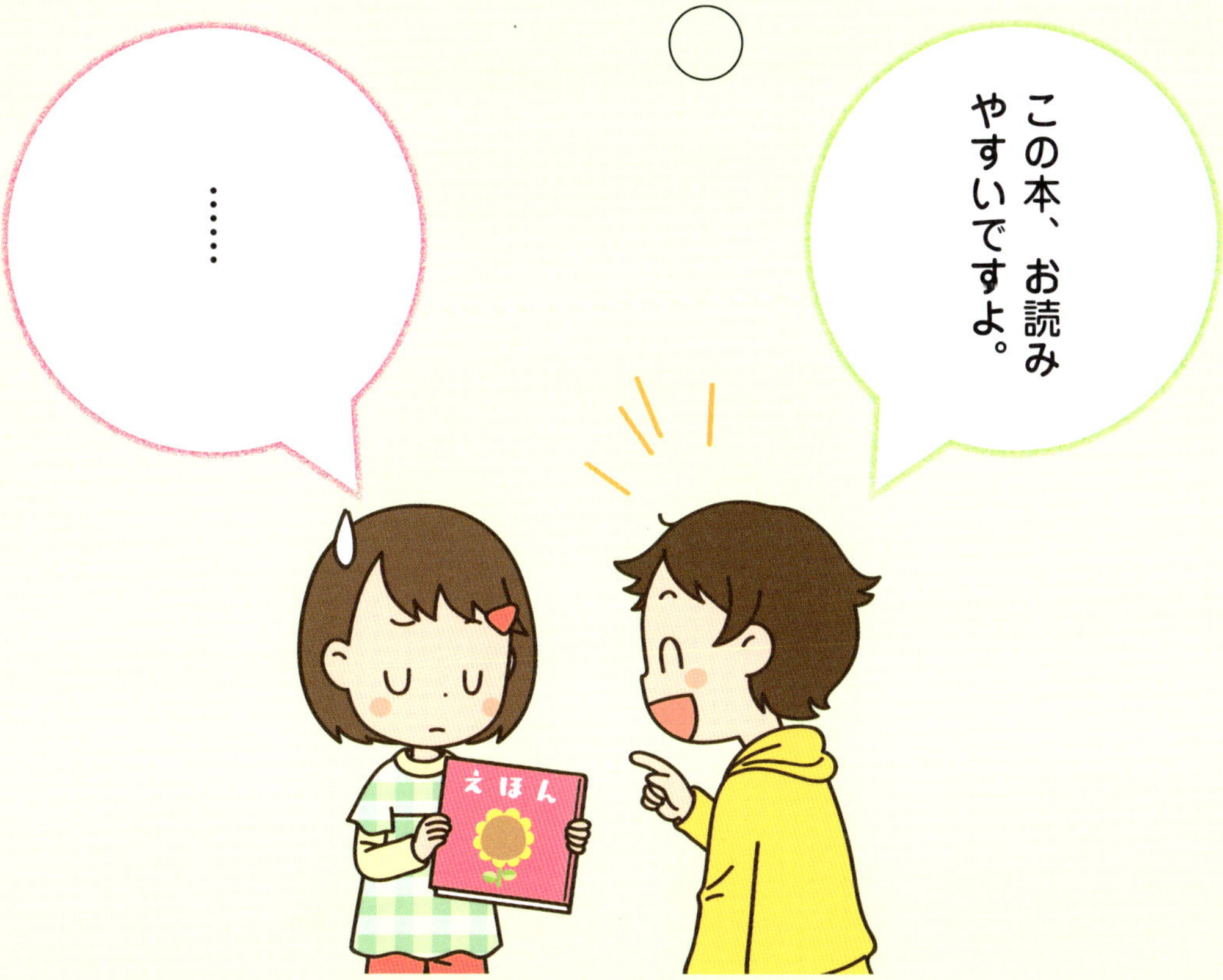
この本、お読みやすいですよ。
……
えほん

●カンちがい敬語《けいご》　どこが変？「田中先生は、外出して、おりません」

保護者《ほごしゃ》から学校に「田中先生はいらっしゃいますか」と電話がありました。田中先生は外出しているので、「田中先生は、外出して、おりません」と答えました。

【おかしなポイント】

「先生」は、敬《うやま》う気持ちを表す「敬称《けいしょう》」ですから、「尊敬語《そんけいご》」と同じように働きます（第二巻《かん》P46）。同じ学校の先生なので、自分側の人に尊敬の気持ちを、保護者（外部の人）の人に表すのは不適切《ふてきせつ》です。外部の人に対しては、自分側の人の名前に敬称を付けないのが基本《きほん》となります。

文化庁《ぶんかちょう》の「国語に関する世論調査《よろんちょうさ》」によれば、この場合「田中先生と言う」と回答した人のほうが多かったとされています。学校では、自分側、相手側よりも、生徒を基準《きじゅん》として、その教師《きょうし》であるという点を優先《ゆうせん》しようと考えられているようです。

「田中は外出して、おりません」○

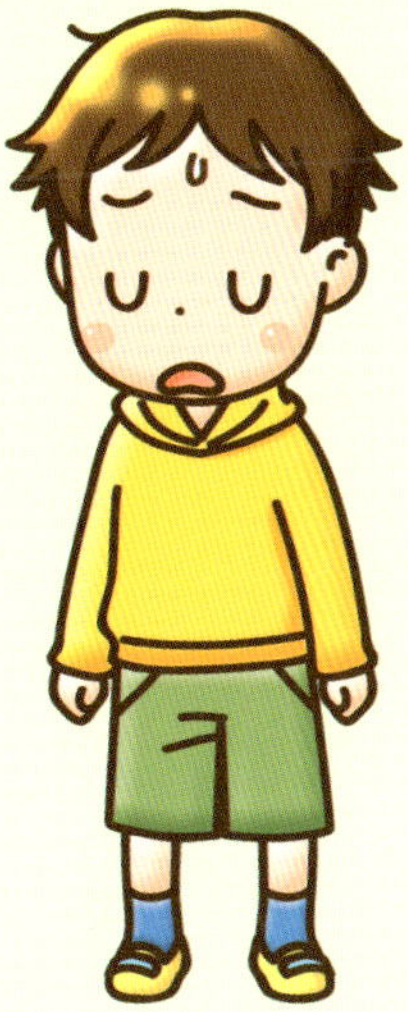
「田中先生は、外出しておりません。」変ですか?

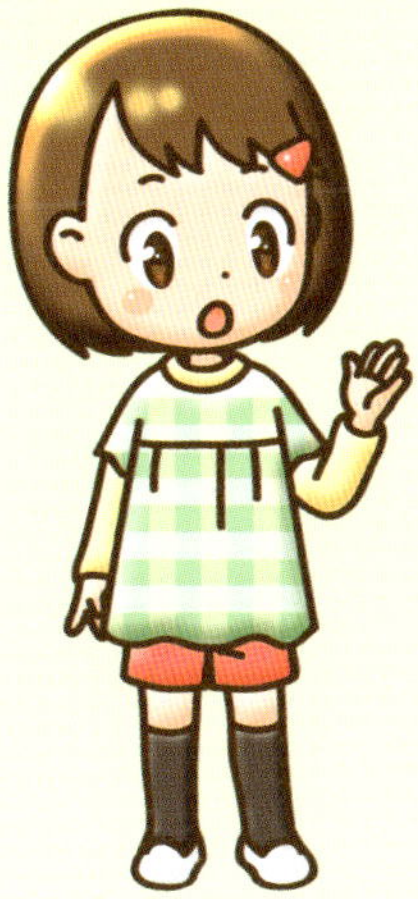
おやあ?

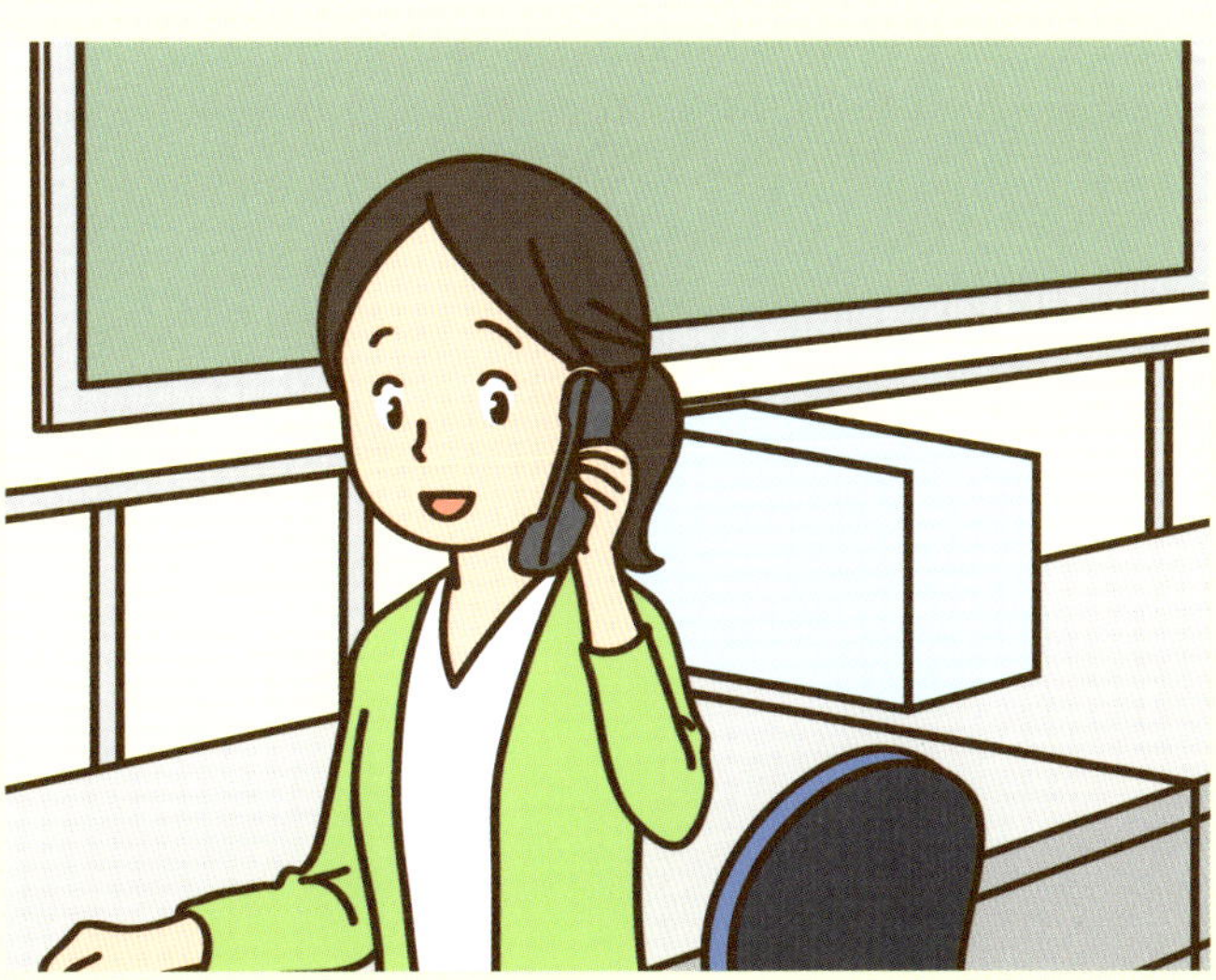
田中は外出しておりません。

●カンちがい敬語《けいご》どこが変？「ご利用していただきまして、ありがとうございます」

【おかしなポイント】

この文は「ご利用する」＋「いただく」で、できています。利用するのは相手（または第三者）ですから「謙譲語《けんじょうご》」の『「お」「ご」……する」』（第三巻《かん》P26）を付けて下げるのは不適切《ふてきせつ》な表現《ひょうげん》です。それに相手から受ける恩恵《おんけい》に感謝《かんしゃ》する「いただく」を付けて、今度は相手を上げようとしているのでから、下げたあと上げるという不適切な表現となっています。

「ご利用いただきまして…」

利用していることの感謝《かんしゃ》を客に表す場合、客が代金を支《し》払《はら》っているので、その代金を受け取る恩恵《おんけい》に感謝《かんしゃ》して「ご利用いただき、ありがとうございます」という「謙譲語《けんじょうご》」を使っているので、適切《てきせつ》な表現《ひょうげん》です。

「ご利用いただきまして、ありがとうございます」○

「ご利用くださいまして、ありがとうございます」○

ご利用くださいまして、ありがとうございます。

ご利用していただきまして、ありがとうございます。

●カンちがい敬語《けいご》　どこが変？
「お試しできます」

【おかしなポイント】

「謙譲語《けんじょうご》」は、自分（自分側）の動作であれば、可能表現《かのうひょうげん》として『「お」「ご」……できる』と表現できます（第三巻《かん》P38）。

しかし、相手（相手側）の動作の場合「尊敬語《そんけいご》」の『「お」「ご」……になる』（第二巻P22）を付け、それを可能表現『「お」「ご」……になれる（なれます）』とするのが適切《てきせつ》な敬意表現《けいいひょうげん》です。

●尊敬語《そんけいご》「一般形《いっぱんけい》」『「お」「ご」……になる』
常体語《じょうたいご》→尊敬語＋可能表現

〈相手の行動〉

「お試しできます」×

＊試すのは相手（相手側）なので「お試しする」がそもそも「謙譲語」として成立しません。

「お試しになれます」◯

＊「尊敬語」の「お試しになる」の可能表現として成立します。

●カンちがい敬語《けいご》　どこが変？
「いらっしゃられる」

【おかしなポイント】

動詞《どうし》に「（ら）れる」を付けると「尊敬語《そんけいご》」の「一般形《いっぱんけい》」のひとつとなります（第一巻《かん》P26）。

しかし「いらっしゃる」は、すでに「行く」という動詞の「尊敬語」の「特定形」（第一巻P12）になっています。ここに「られる」を加えると「二重敬語《にじゅうけいご》」（第二巻《かん》P38）となり、くどい言い回しとなりますので、避《さ》けるべき表現です。

先生が、体育館にいらっしゃられる。

「先生が、体育館へ行く」(常体語)

「先生が、体育館へいらっしゃる」○

「先生が、体育館へいらっしゃいました」○

ていねいに言ったつもりだったのに…。

やたらに「られる」を付けるのは、避《さ》けたい表現なんですね。

●カンちがい敬語《けいご》　どこが変？
「ご乗車できません」

「乗車する」に、相手を上げる「尊敬語」の「一般形《いっぱんけい》」、『「お」、「ご」……になる』（第二巻《かん》P22）を使って、「ご乗車になる」にし、さらに可能《かのう》の意味を加えて「ご乗車になれる」と変化させます。

これの否定形《ひていけい》ですから「ご乗車になれません」が適切《てきせつ》な「尊敬語」となります。

尊敬語《そんけいご》の「ご乗車になる」を否定形《ひていけい》にするんですね。

「ご乗車になれません」が正しい尊敬語《そんけいご》です。

「ご乗車できません」×

「乗車する」のは「乗客」で、「自分」ではありませんから、尊敬語にするべきです。美化語「ご」を付け、「ご乗車する」とし、それを否定形にした点に問題があります。

これは「謙譲語《けんじょうご》」の「一般形」である『「お」、「ご」……する』(第三巻《かん》P26)を付けた形と同じ、つまり乗客を下げてしまう不適切な使い方です。

「ご乗車になれません」◯

こちらが適切な「尊敬語」となります。

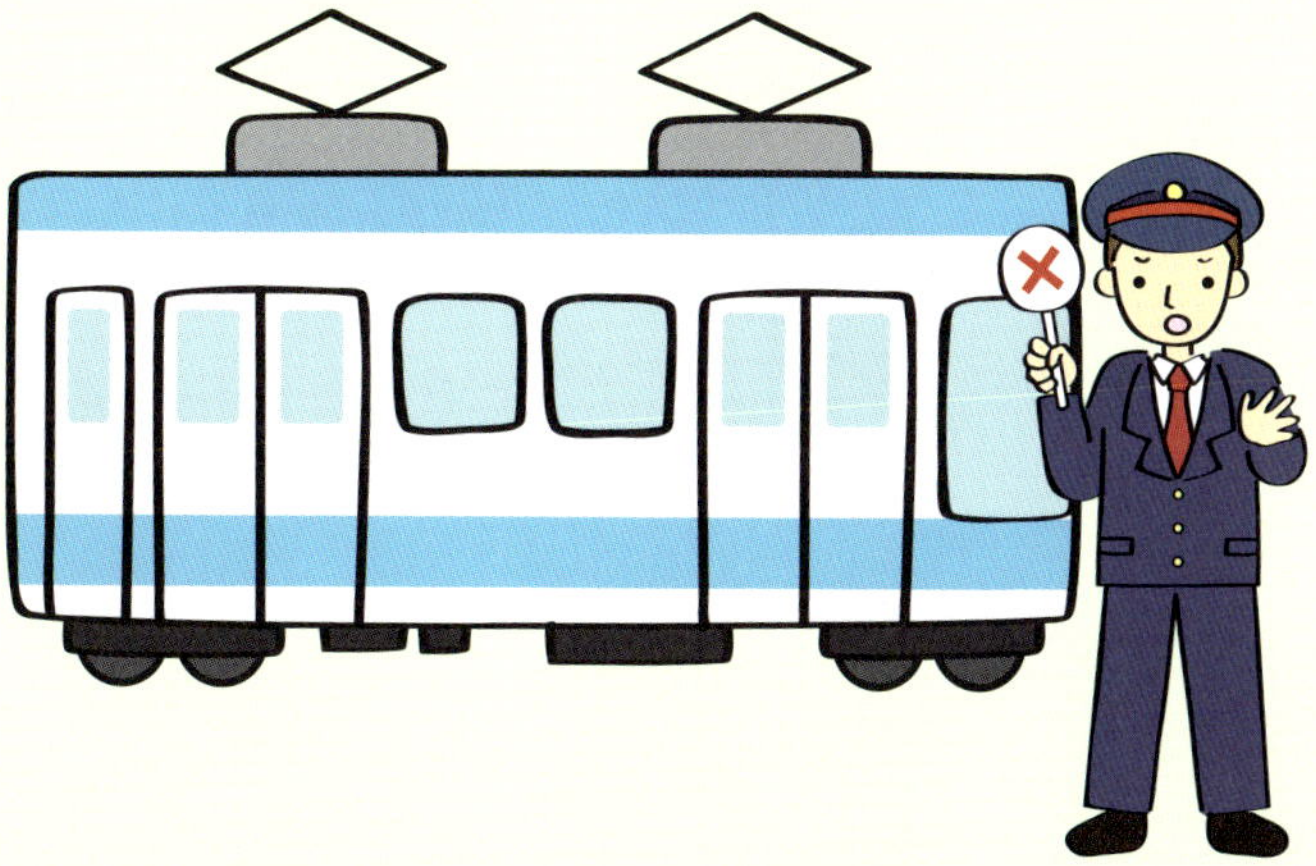

●カンちがい敬語《けいご》　どこが変？

（役所の窓口《まどぐち》で）

「隣《となり》の窓口の担当者《たんとうしゃ》に伺《うかが》って下さい」

【おかしなポイント】

「伺う」は、「謙譲語《けんじょうご》」（第三巻《かん》P14）の「聞く（質問）」や「尋《たず》ねる」の「特定形」で、「伺う」という動作が向かう相手を上げて、結果としては自分を下げるはたらきを持っています。尋ねるのは相手側なので丁寧《ていねい》に伝えたつもりが、相手を下げてしまった失礼な言い方になっています。

●常体《じょうたい》語《ご》→尊敬語《そんけいご》

「隣の窓口の担当者に尋ねる」→

「隣の窓口の担当者に尋ねて下さい」○

「隣の窓口の担当者にお聞き下さい」○

「隣の窓口の担当者にお尋ね下さい」○

●カンちがい敬語《けいご》　どこが変？
「ご説明させていただきます」

【おかしなポイント】

「ご説明させていただく」の『……させていただく』は、「お祈《いの》りさせていただく」のように、本来は神仏《しんぶつ》などの対象から大きな恩恵《おんけい》を期待するときに、「とてもそんな立場ではないのに」という謙虚《けんきょ》な気持ちで「……させていただく」を使いました。

「ご説明させていただく」の場合、説明しても大きな恩恵があるわけではありませんから、そこが変です。

最近は「……させていただく」が、本来の意味とはかけ離《はな》れた場面でしばしば使われています。くどい表現を避《さ》けて、「謙譲語《けんじょうご》」の「一般形《いっぱんけい》」『「お」「ご」……する』（第三巻《かん》P26）を使い、「ご説明します」を基本《きほん》として身に付けていきましょう。

●常体語《じょうたいご》→謙譲語《けんじょうご》

「説明する」→「ご説明します」○

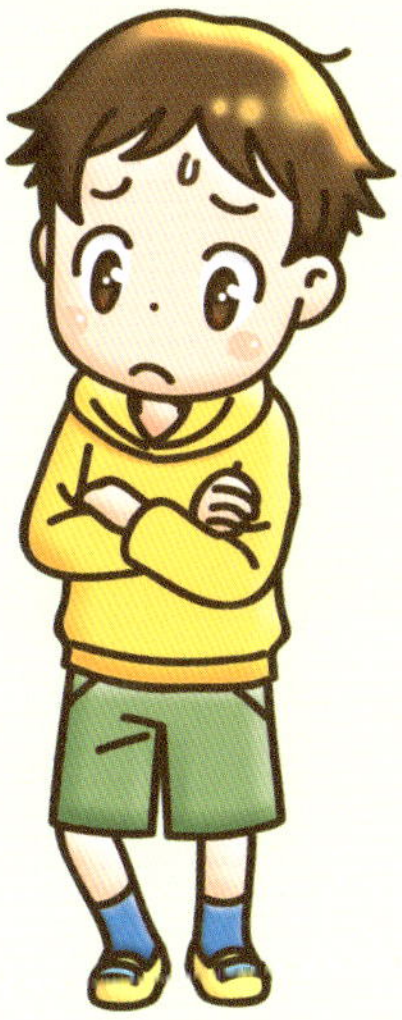

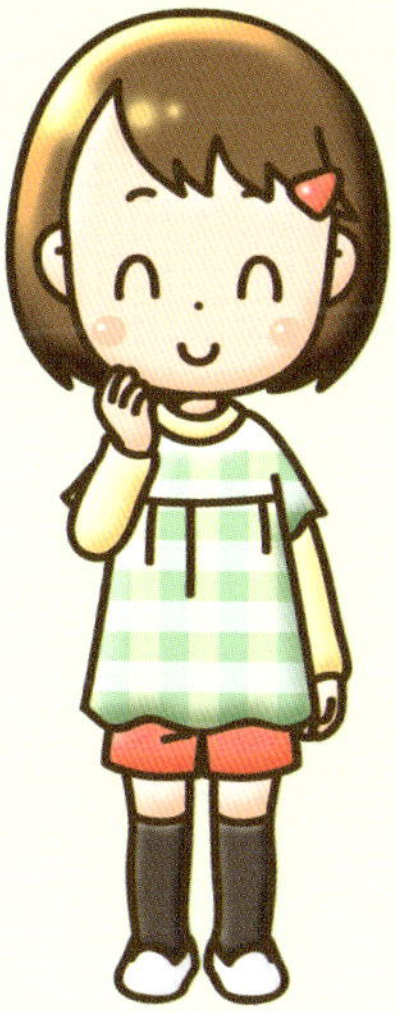

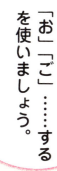

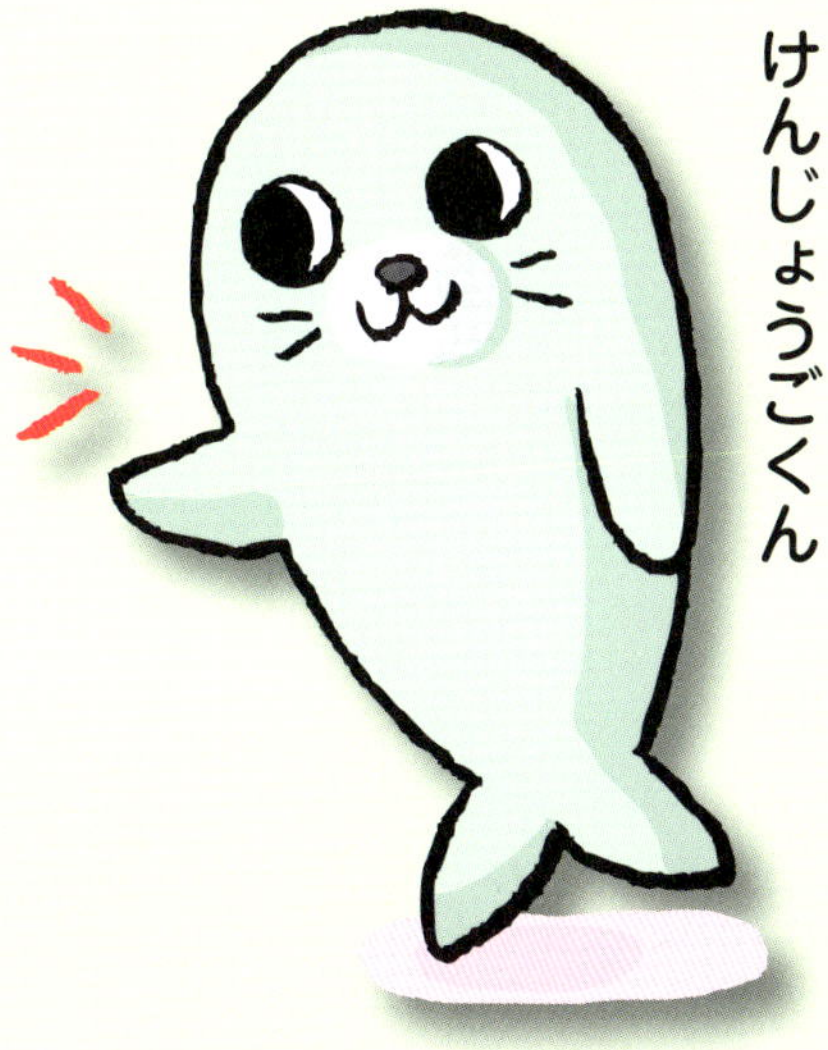

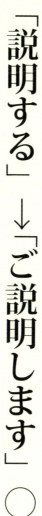

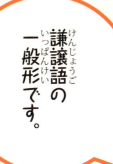

●カンちがい敬語《けいご》 どこが変？
（会社の創立記念式典《そうりつきねんしきてん》で）「社長からご挨拶《あいさつ》いただきます」

【考えるべきポイント】

式典にいるのは、「会社の人がほとんどか」、「外部の人もかなりの数いるか」ということがポイントです。会社の人がほとんどであれば、社長に「尊敬語《そんけいご》」の表現《ひょうげん》で「社長からご挨拶をいただきます」が適切《てきせつ》です。

外部の人が、かなりの数そこにいる場合、社長であっても外部の人に対しては自分側の人（自分と同じ会社の人）として扱うので、「尊敬語」を使わず「謙譲語《けんじょうご》」を使います。

いる人が、会社の人か外部の人かで違《ちが》います。

「謙譲語」を使って自分側を下げることで外部を上げることのできる敬語表現を利用します。「言う」の「謙譲語」の「特定型」である「申し上げる」を使って敬意を表現します（第三巻Ｐ８）。

「社長がご挨拶を申し上げます」◯

「申し上げます」とし自分側を下げると、申し上げる先として外部の人を上げたことになり適切です。

●カンちがい敬語《けいご》　どこが変？
「先生も行かれますか」

【考えるポイント】

「先生も行かれますか」でも、「尊敬語《そんけいご》」の、「動詞《どうし》」＋「（ら）れる」のパターン（第二巻《かん》P26）で正しい敬語になっています。ただし、「行く」の「尊敬語」の「特定形《とくていけい》」である「いらっしゃる」（第一巻P12）を使うほうが、敬語の程度《ていど》が高く、一般的《いっぱんてき》であるとされています。

敬語は、地方によって使い方が違《ちが》っていることもあるので、地方によっては「先生も行かれますか」のほうが普通《ふつう》だということもあります。

尊敬語《そんけいご》の特定形
を使う方が
よいでしょう。

「先生もいらっしゃいますか」◯

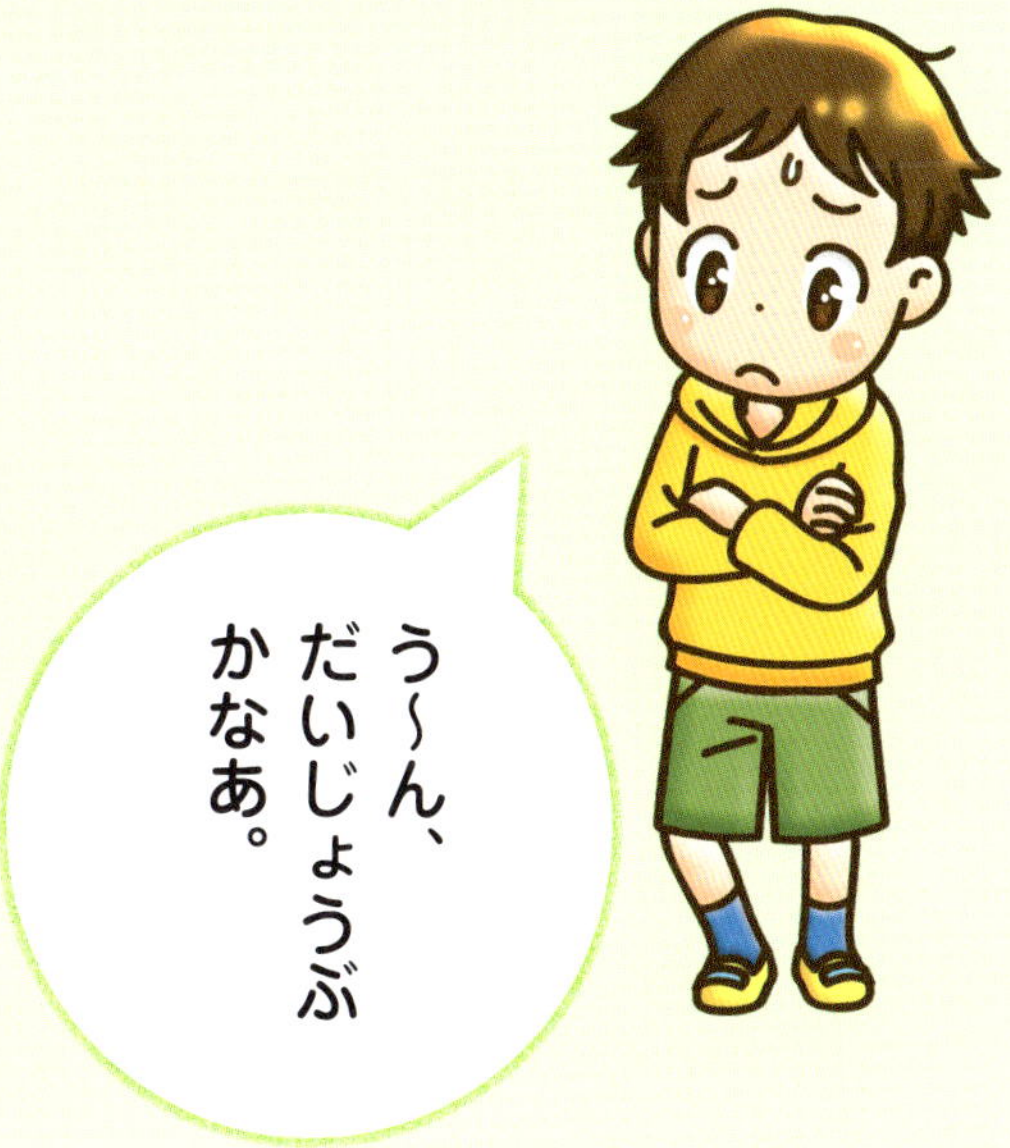
う〜ん、だいじょうぶかなあ。

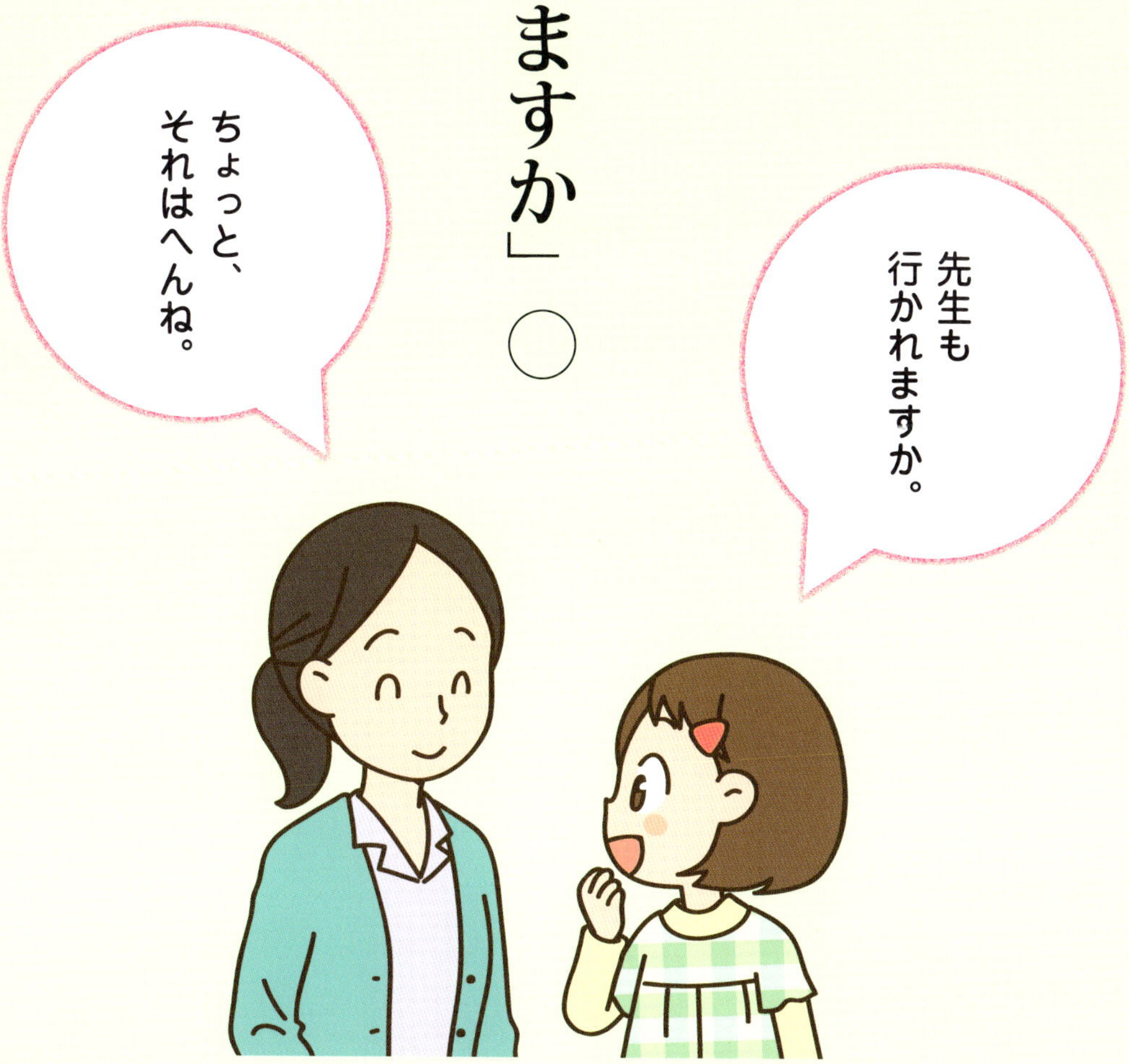
先生も行かれますか。
ちょっと、それはへんね。

●カンちがい敬語《けいご》　どこが変？「コーチは教え方が上手ですね」

【考えるべきポイント】

「上手ですね」は、上手か下手かを発言している人が、相手の能力《のうりょく》や技術《ぎじゅつ》を判断《はんだん》していることになります。選手が、教える立場の人の能力や技術を評価したり、判断したりすることは好ましくないことです。よく分かるように教えてもらったのであれば「分かりやすく教えていただき、ありがとうございました」と感謝《かんしゃ》の内容《ないよう》を具体的に言うのがよいでしょう。

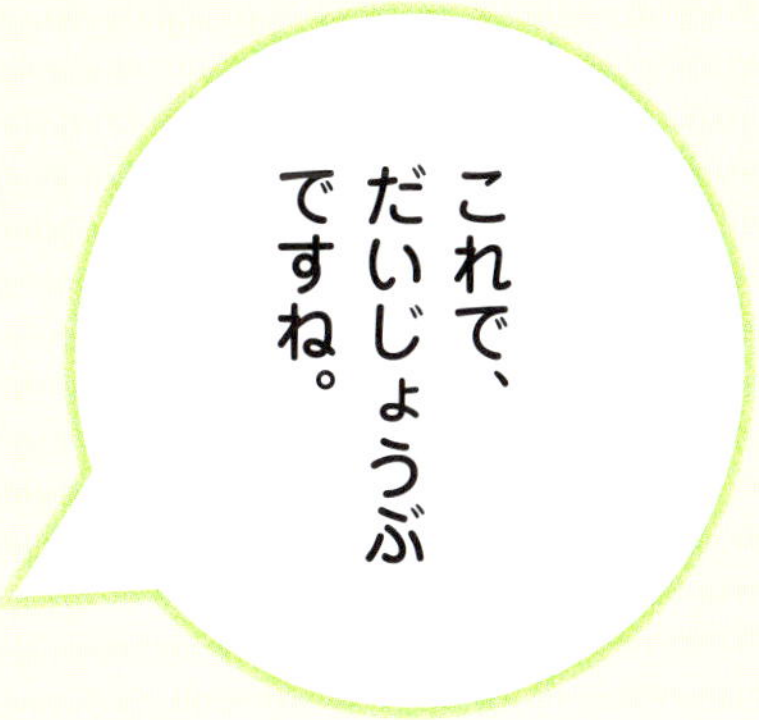
これで、
だいじょうぶ
ですね。

「分かりやすく教えていただき、ありがとうございました」◯

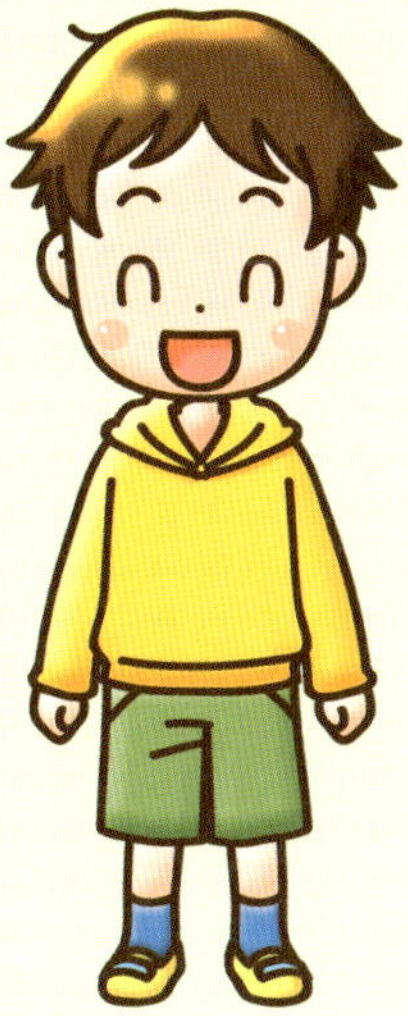

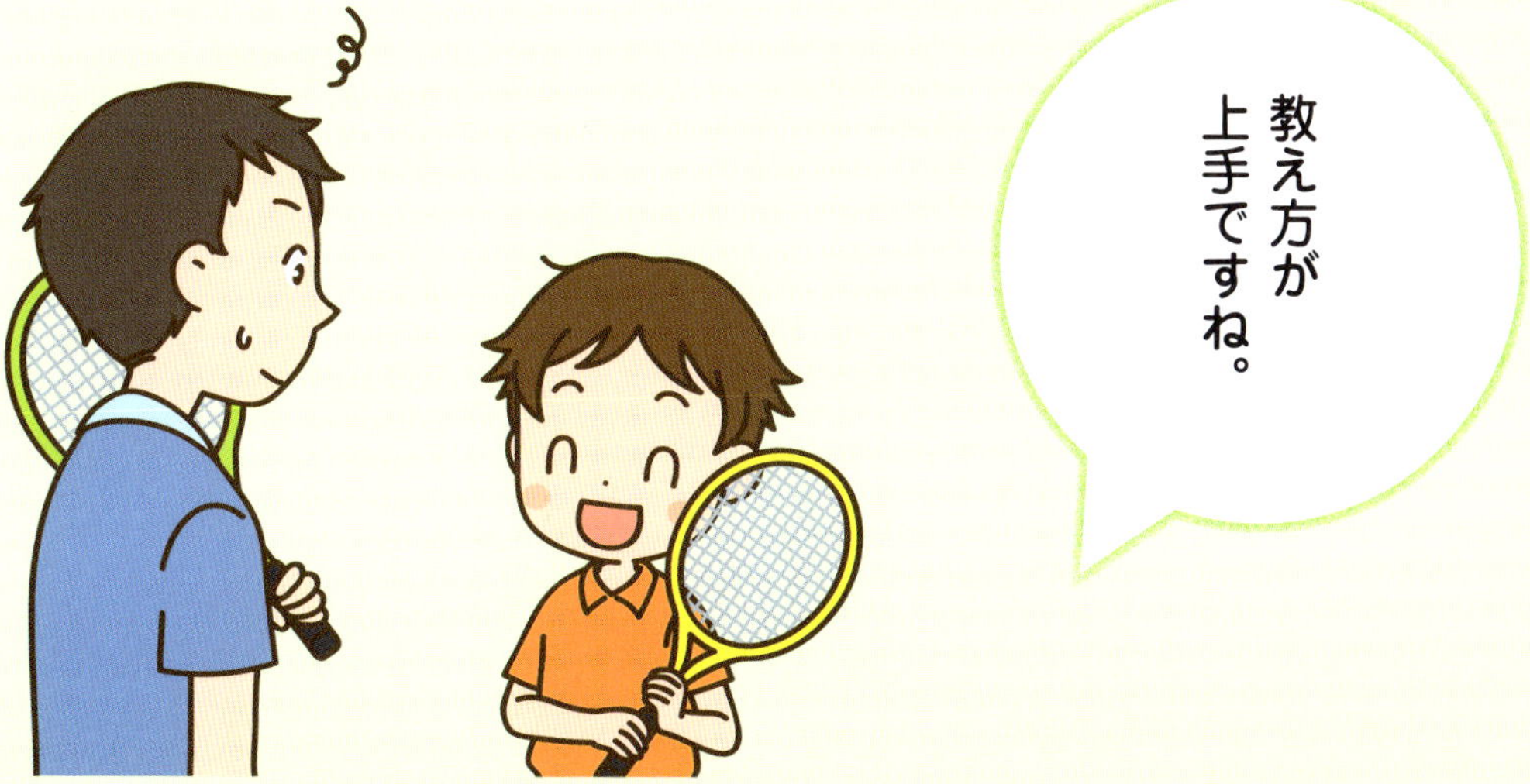
教え方が
上手ですね。

●カンちがい敬語《けいご》　どこが変？「部長は、フランス語もお話しになれますか」

「部長は、コーヒーをお飲みになりたいですか」

【考えるべきポイント】

どちらも『「お」「ご」……になる』の「尊敬語《そんけいご》」の「一般形《いっぱんけい》」が使われ、さらにできるかどうか、「可能」かどうかを確かめる「なれますか」と変化させていて、形だけ見ると問題はなさそうです。

しかし、部長（目上の人）に対して、その人の能力《のうりょく》や意思、願いなどを直接的《ちょくせつてき》に尋《たず》ねることは失礼にあたると考えられています。

すごい！
英語、フランス語、
中国語、日本語、
たくさん話せるん
ですね。

「部長は、フランス語もお話しになりますか」◯

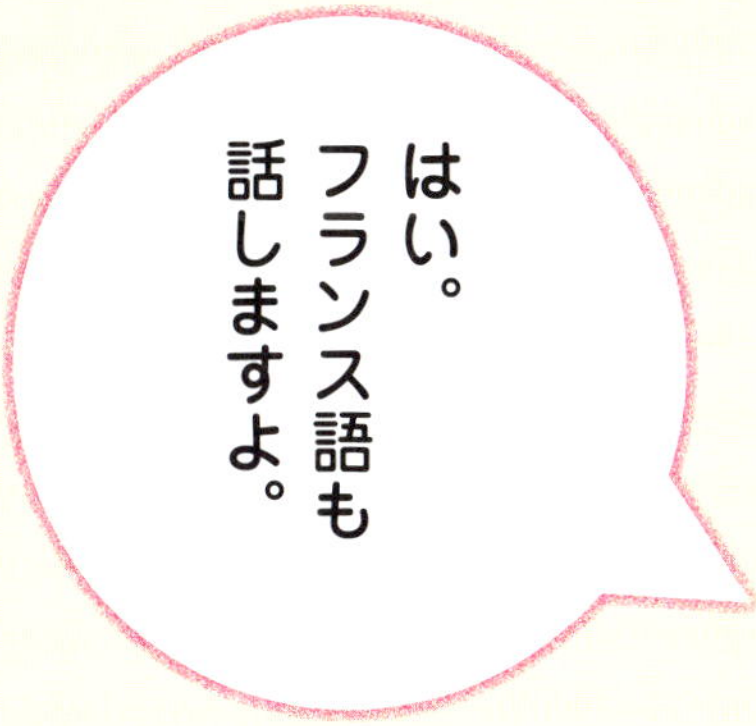
はい。フランス語も話しますよ。

「部長は、コーヒーをお飲みになりますか」◯

コーヒーをお飲みになりますか。

ありがとう。

●カンちがい敬語《けいご》　どこが変？「これ、お願いします」

【考えるべきポイント】

仕事を頼《たの》むときに「これ、お願いします」であっても、いつも気持ちが通じる相手であればかまいません。しかし、仕事を頼むということは相手に何らかの負担《ふたん》をかけることになります。

相手に負担をかけるのだという意識《いしき》をもって、その気持ちを伝えることが、相手に対して配慮《はいりょ》した敬意表現《けいいひょうげん》となります。

言葉としては問題なくても、相手に対して敬意《けいい》が必要なんですね。

「すみませんが、これ、お願いします」◯

「忙《いそ》しいところ申し訳《わけ》ないけれど、
これ、お願いします」◯

「これ、お願いしてもいいですか」◯

今日中にやっといて。
一生に一度のお願い。
今月二回目だけど。

●カンちがい敬語《けいご》　どこが変？
（会議などで知らない人に対して）「あなたは、どう考えますか」

【考えるべきポイント】

「あなた」は、もともとは敬意《けいい》の高い敬語でした。しかし、現在《げんざい》では年齢《ねんれい》や立場が、同等（同じ）あるいは下位（自分より若いようなとき）にある人に対して使うようになりました（第一巻《かん》P14、P46）ですから、知らない人に対して「あなた」を使うことは適切《てきせつ》ではないと考えられるようになりました。「相互尊重《そうごそんちょう》」という敬語の基本《きほん》から考えて、あなたを使わず「お考えをお聞かせ下さい」がよいでしょう。

「○○さんのお考えをお聞かせ下さい」○

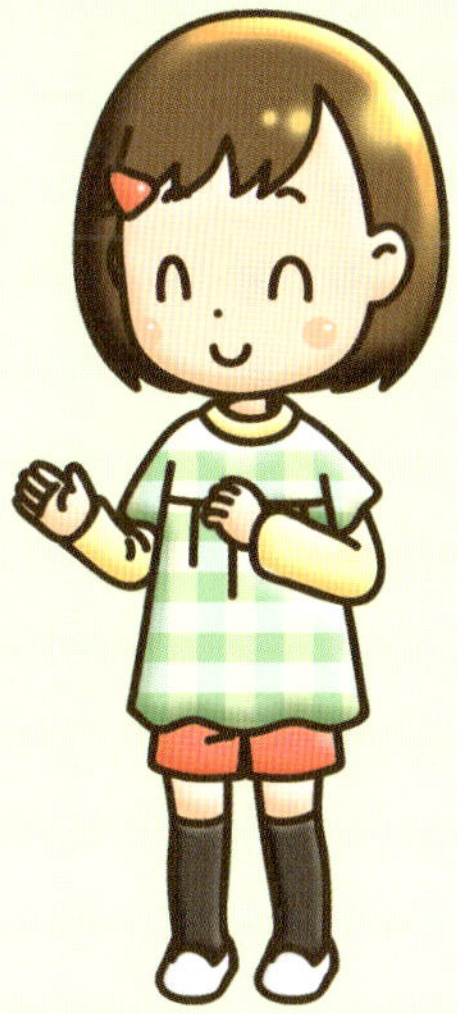

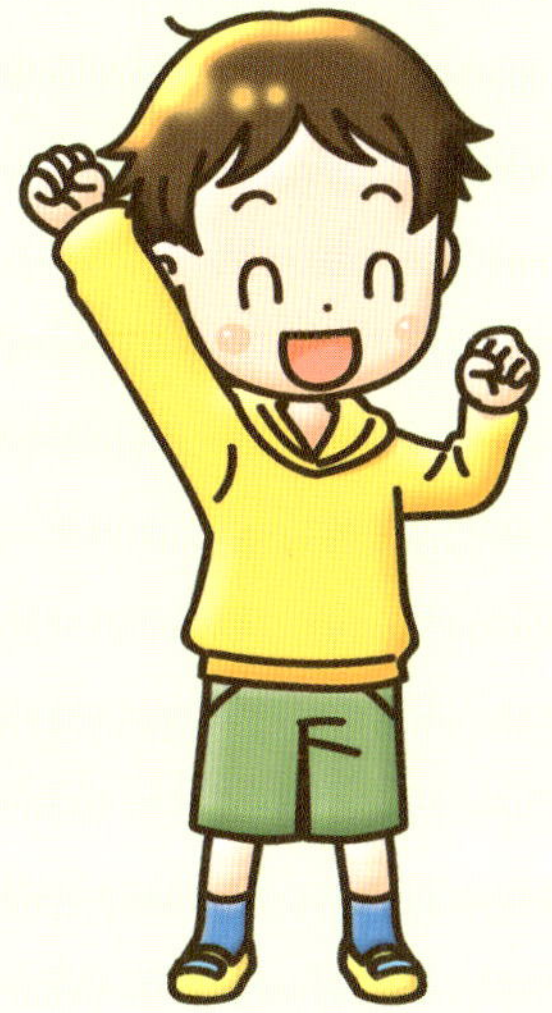

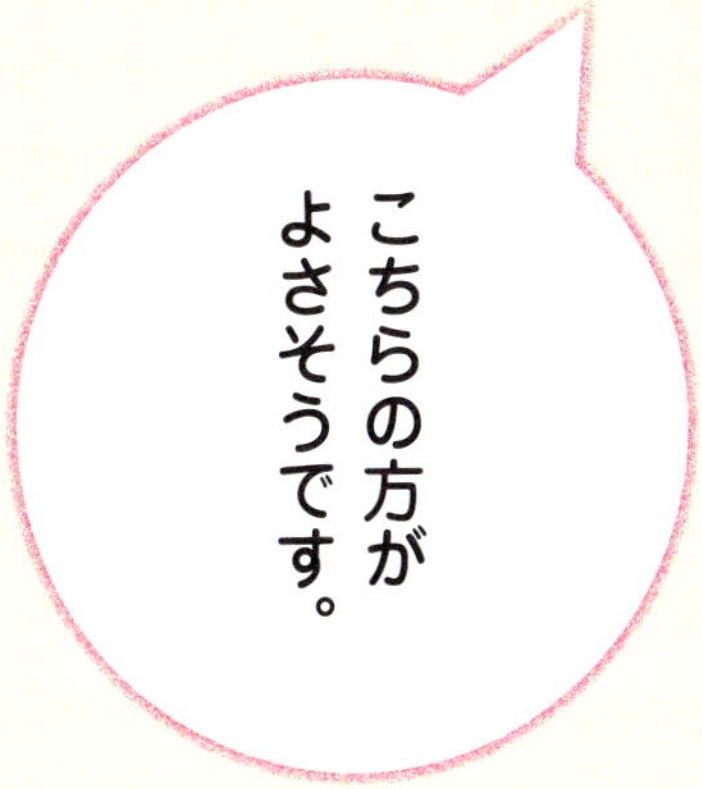
こちらの方がよさそうです。

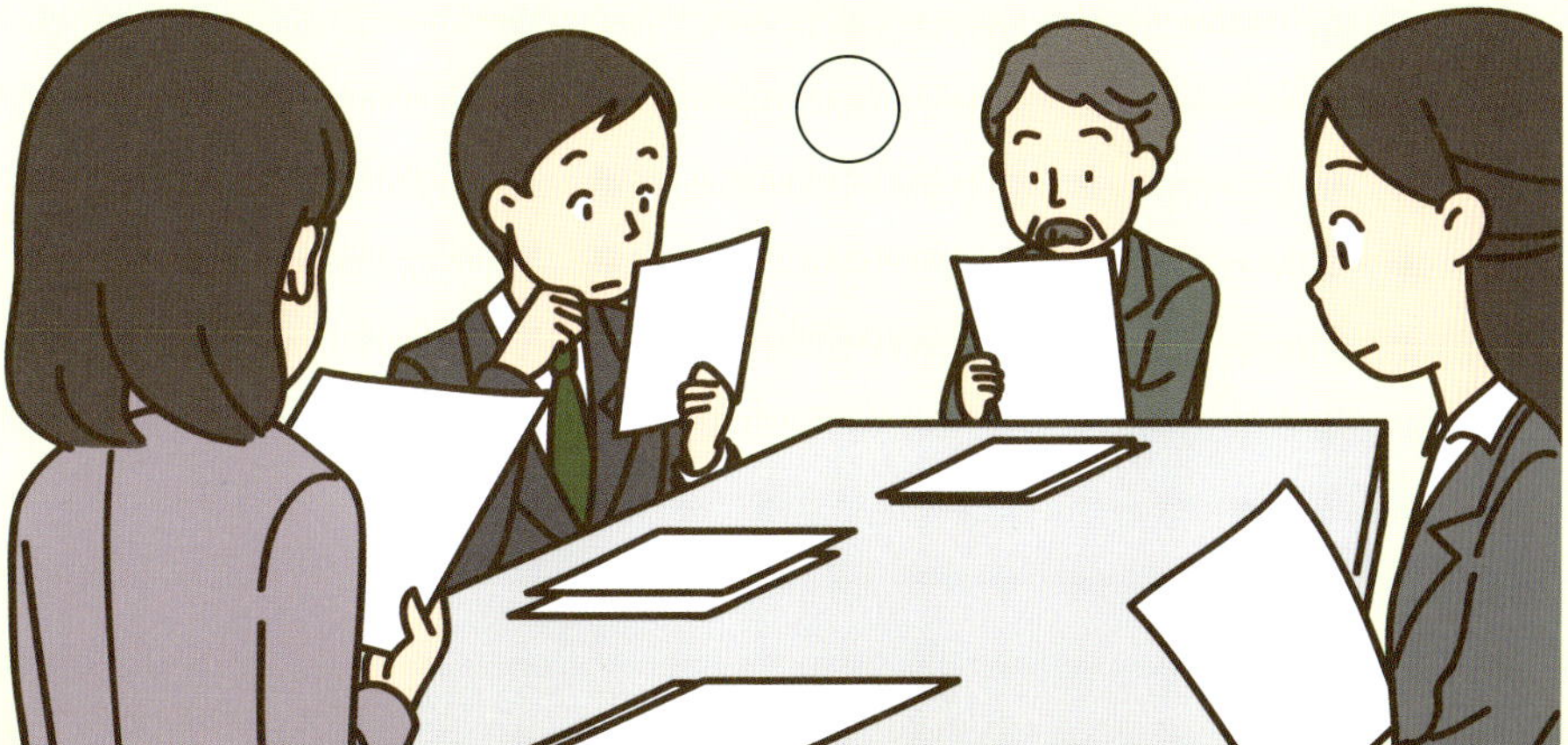

●カンちがい敬語《けいご》 どこが変？
（先生への手紙の宛名《あてな》）
「野山中学校 山田 一男 様」

【考えるべきポイント】

「様」でも、決して間違《まちが》いではありませんが、自分が、山田一男先生の生徒や学生、あるいは生徒や学生の保護者《ほごしゃ》の立場であれば、差し出す手紙の宛名は、「様」ではなく「先生」と書くのがより適切《てきせつ》だと言えます（第二巻《かん》P46、第五巻P12）。

生徒や学生は
「様」よりも
「先生」がいいで
しょう。

しまった、自分の名前を書き忘れた。

野山中学校　山田　一男　先生　○

夏休みに「山田先生」に暑中お見《み》舞《ま》いを差し上げました。

野山中学校
山田　一男　先生

●カンちがい敬語《けいご》　どこが変？（社長に対して）「ご苦労さまでした」

【考えるべきポイント】

「ご苦労さま」は、「ねぎらい」の気持ちをこめて使う表現《ひょうげん》です。ねぎらいは、立場が上の人が下の人に向けて使う言葉なので、このような場合には使うと変だと感じられます。

「たいへんお疲《つか》れさまでした」の「お疲れさま」もねぎらいの表現ですが、一緒《いっしょ》に仕事をした後など、お互《たが》いに声をかけ合うような場合にも多く使われる表現なので、失礼な言い方には当たりません。「どうもありがとうございました」だけでも、上司に感謝《かんしゃ》の気持ちは伝えられます。

「ありがとうございました。たいへんお疲れさまでした」◯

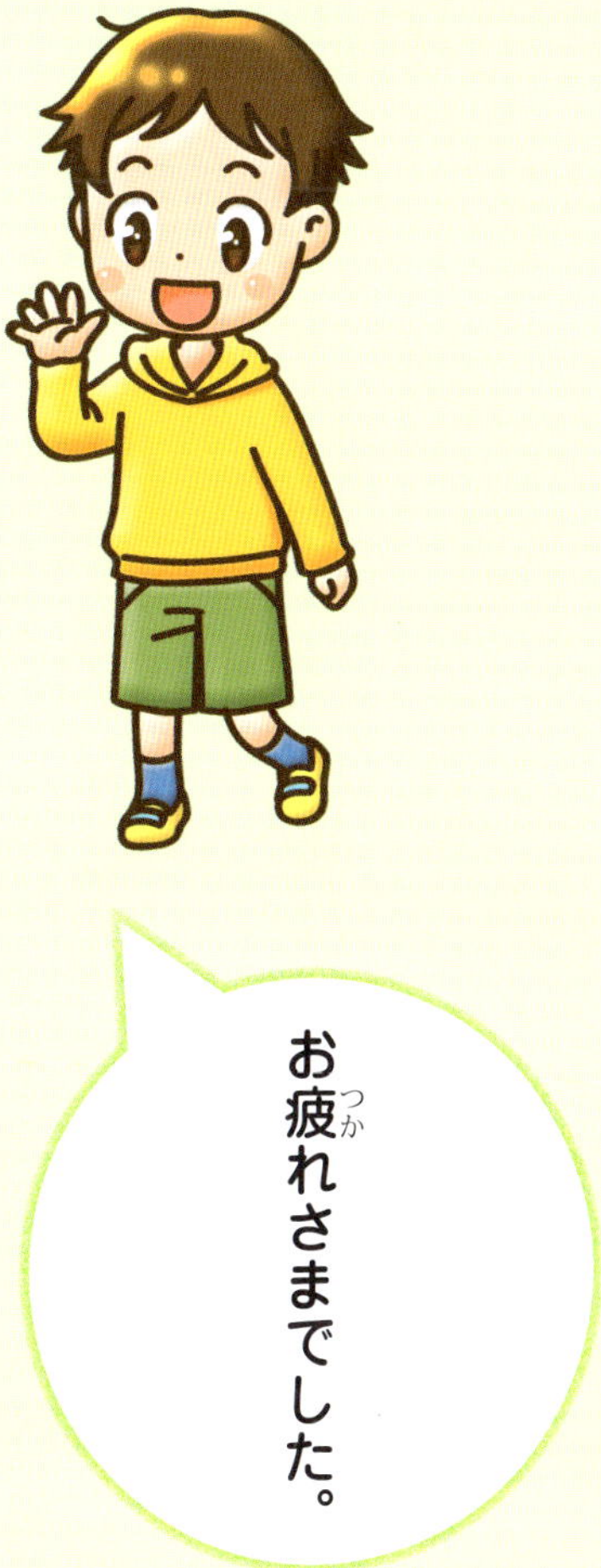
お疲《つか》れさまでした。

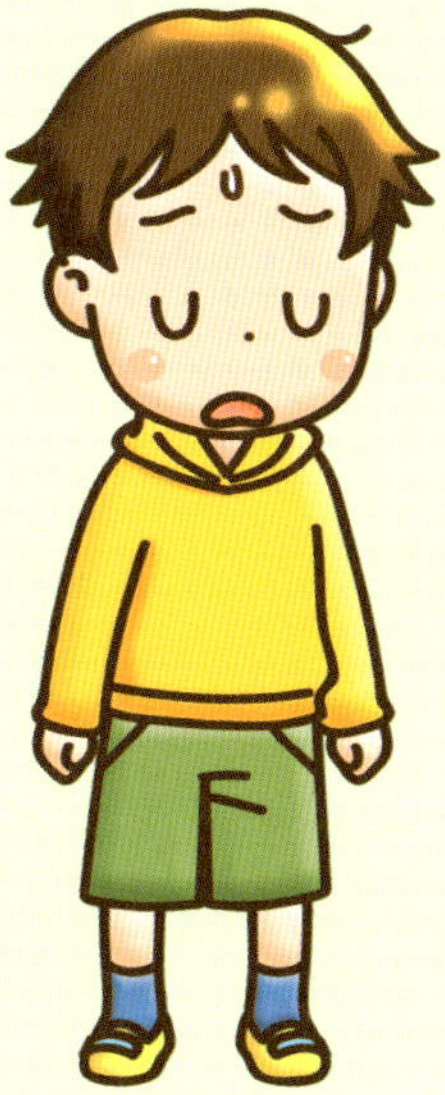

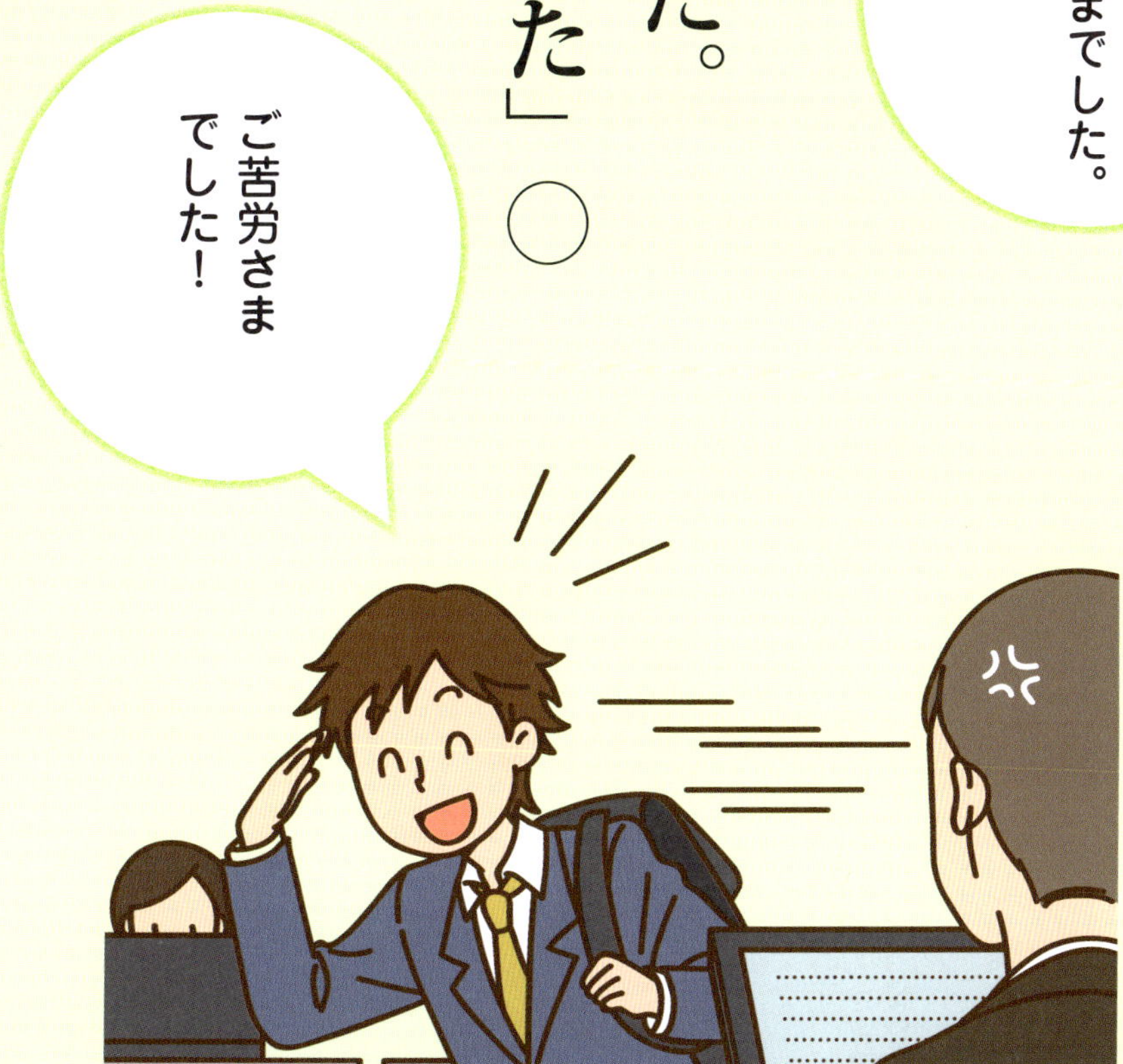
ご苦労さまでした！

「尊敬語《そんけいご》」の「特定形」を復習《ふくしゅう》しましょう

左の表で「常体語」が「丁寧語《ていねいご》」に変わる形を確認《かくにん》し、続《つづ》いて「尊敬語」の「特定形」を復習してみましょう。

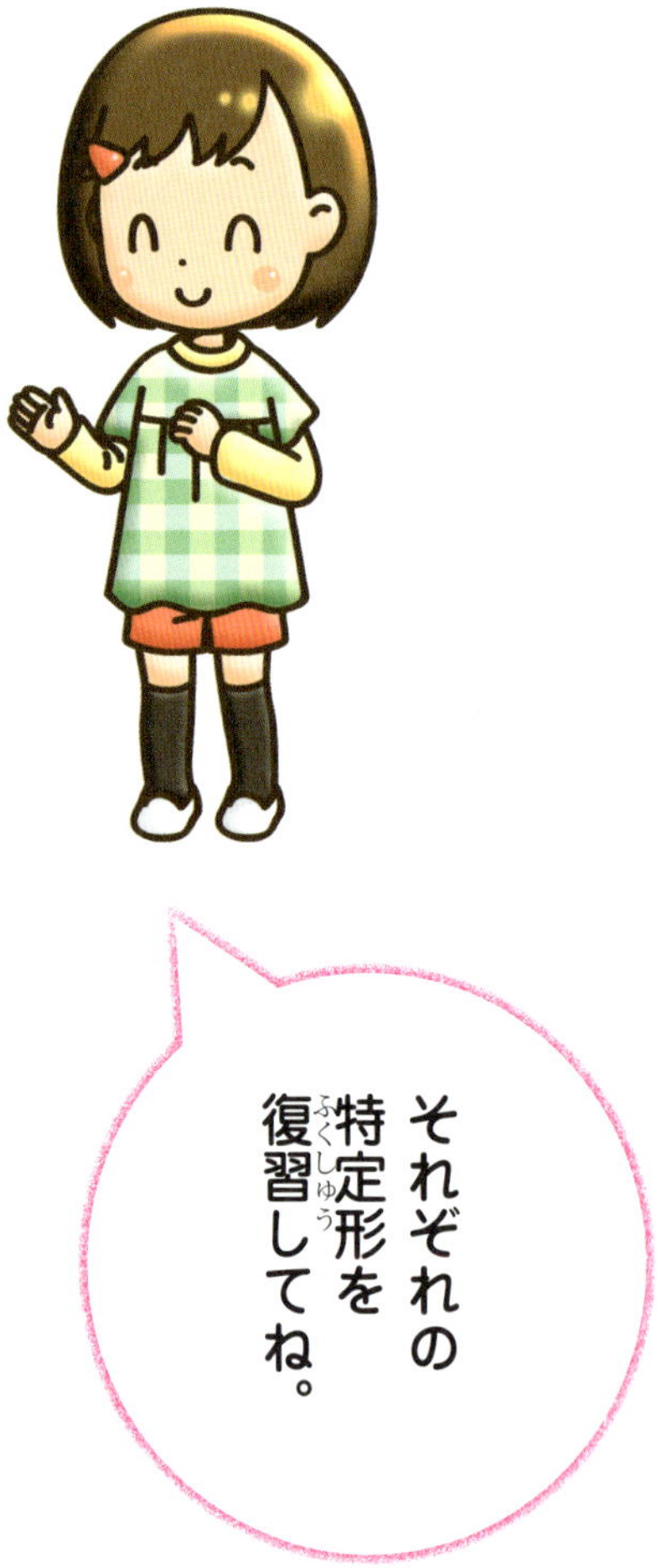
それぞれの特定形を復習《ふくしゅう》してね。

常体語《じょうたいご》（普通語《ふつうご》）	丁寧語《ていねいご》	尊敬語《そんけいご》（特定形）
いる	います	いらっしゃる
行く	行きます	いらっしゃる
来る	来ます	いらっしゃる 見える
言う	言います	おっしゃる
する	します	なさる
食べる	食べます	召《め》し上がる＊
聞く	聞きます	お聞きになる＊＊
見る	見ます	ご覧《らん》になる

＊「召《め》し上がる」は「召す」自体が「尊敬語」なので、＋「上がる」で、二重敬語《にじゅうけいご》となりますが、慣習《かんしゅう》として定着しており、間違《まちが》いではないとされています。

＊＊「お聞きになる」は『「お」「ご」……になる』の「尊敬語」の「一般形」です。

●カンちがい敬語《けいご》　どこが変？
話し言葉では使わない丁重語と使い過《す》ぎ

「丁重語」の中には、名詞《めいし》の頭に付けて自分側に関することを控《ひか》え目に表す語があります。これらは、ほとんどが書き言葉で使われます。
「弊《へい》」「小《しょう》」「拙《せつ》」「愚《ぐ》」「粗《そ》」「寸《すん》」「薄《はく》」「無《む》」「凡《ぼん》」「不《ぶ》」などをつけて、下げる（謙遜《けんそん》の）姿勢《しせい》を表します。

ていちょうごくん
丁重語には、自分側を控《ひか》え目に表す語があります。

主に書き言葉で使う「丁重語」

「弊《へい》」＝弊社《へいしゃ》、弊屋《へいおく》、弊紙《へいし》
「小《しょう》」＝小社《しょうしゃ》、小職《しょうしょく》、小子《しょうし》
「拙《せつ》」＝拙宅《せったく》、拙者《せっしゃ》、拙文《せつぶん》
「愚《ぐ》」＝愚妻《ぐさい》、愚息《ぐそく》、愚才《ぐさい》
「粗《そ》」＝粗品《そしな》、粗餐《そさん》、粗景《そけい》
「寸《すん》」＝寸志《すんし》、寸書《すんしょ》
「薄《はく》」＝薄謝《はくしゃ》、薄給《はっきゅう》
「無《む》」＝無学《むがく》、無芸《むげい》、無才《むさい》
「凡《ぼん》」＝凡才《ぼんさい》、凡愚《ぼんぐ》、凡夫《ぼんぷ》
「不《ぶ》」＝不躾《ぶしつけ》、不（無）《ぶ》作法《さほう》
（第四巻《かん》P20～25）

「私《わたし》の会社から感謝《かんしゃ》の気持ちとして、お礼をお贈《おく》りします。お品物は、私が書いた感謝状《かんしゃじょう》と一緒《いっしょ》にお渡《わた》ししたく、ご来社をお待ち申し上げます」

左の文章のように、さらに丁重に伝えることも出来ますが、敬意を伝えるという意味ではこの文章でも十分です。

「弊社《へいしゃ》より感謝の気持ちとして薄謝《はくしゃ》を贈呈《ぞうてい》いたします。粗品《そしな》ではございますが、小職《しょうしょく》が執筆《しっぴつ》した拙文《せつぶん》とともにお渡ししたく、ご来社をお待ち申し上げます」

この文章を電話で伝えても、相手に理解《りかい》してもらうことはむずかしいでしょう。また、丁重語が五つも多用されており、手紙など書いた文章としても、違和感《いわかん》があります。

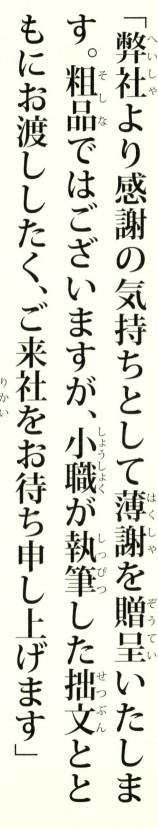

おわりに

小池 保

敬語《けいご》は、本を読んでそれでおしまいではなく、生活の中で実際《じっさい》に使って、人間関係に役立っているという実感をつかむことが、とても大切です。

敬語に自信がないという人には、少し勇気が必要なことかもしれません。でも大丈夫《だいじょうぶ》です。例えばテレビを見ていて、「この本に出ていた例と似《に》ているな」と感じたら、すぐに本を手にとり、似かよった文例を探《さが》してみるのです。ピッタリのものに行き当たるはずです。

もし見つからなくても、目に入った文例を、その機会に声に出し、自分はどこに引っかかったのか「考える」ことも、敬語の力を高めてくれます。「何か変」とシグナルを感じとれる自分の中には、お互《たが》いを尊重《そんちょう》し合う「敬語のこころ」が動き始めている可能性《かのうせい》があります。小さな雪ダマを転がしてゆけば、大きな雪だるまが作れるのと、とてもよく似ているのです。

【保護者・学習指導者の方へ】

敬語とは、お互いが相手を尊重し合って使う言葉づかいです。

母親に連れられた小学校上級生A子さんの妹に、担任教師が「今いくつ」と常体語で聞く。あるいは「今いくつですか」と丁寧語で聞く。どちらも適切な表現です。ではA子さんの妹に教師が「今年でいくつになられたんですか?」と、尊敬語で聞くのは、どうでしょうか。A子さんの妹のそばに母親がいる場合ですから、A子さんの妹に尊敬語を使うことによって、その教師はA子さんの妹にも、そばにいる母親にも、同時に尊重する気持ちを伝えることができます。このように敬語では、時と場合によって年齢や立場が上の人が、下の人に尊敬語を使うこともよくあります。

何よりも大切なのは、お互いがお互いを尊重し合うことです。そして、この時この場合は、この敬語表現が適切なのだと、自分自身が判断し、自分自身が決めるべきなのです。敬語を「決まりごと」ととらえない姿勢。「相互尊重」と「自己決定」が、とても大切です。でもその自己決定には、学びが欠かせません。本書をぜひ敬語学習にお役立て下さい。

監修者　小池　保

「五つの敬語」 第五巻
その敬語、自信ありますか？
（文法・用例編）

参考資料
『敬語の指針』文部科学省文化審議会答申　平成 19 年 2 月 2 日
『放送で使われる敬語と視聴者の意識』（NHK 放送文化研究所）
『敬語速効マスター』鈴木昭夫（日本実業出版社）
『敬語の使い方』ミニマル＋ BLOCKBUSTER　監修：磯部らん（彩図社）
『カンちがい敬語の辞典』西谷裕子（東京堂出版）
『小学生のまんが敬語辞典』山本真吾監修（学研教育出版）
『マンガでおぼえる敬語』齋藤孝（岩崎書店）
『笑う敬語術』関根健一（勁草書房）
『大辞林（第三版）』（三省堂）

2016 年 12 月初版
2016 年 12 月第 1 刷発行

監　修　小池　保
制　作　EDIX
イラスト　熊アート、田中美華、細田あすか

発行者　齋藤　廣達
編　集　吉田　明彦
発行所　株式会社 理論社
〒 103-0001　東京都中央区日本橋小伝馬町 9-10
電話　営業 03-6264-8890　編集 03-6264-8891
URL http://www.rironsha.com

印刷・製本　図書印刷株式会社

ISBN978-4-652-20185-5 NDC815 B5判　27cm 47p